À Giulio et Vittorio, mes chers petits fils, qui sauront devenir,
je l'espère, de « bons petits diables » capables, quand il le
faudra, de faire fuir les vrais méchants.
M. J.

Pour notre Apolline,
bonne petite diablotine.
J.-P. G.-P.

Pour Jules, un bon petit far
C. B.

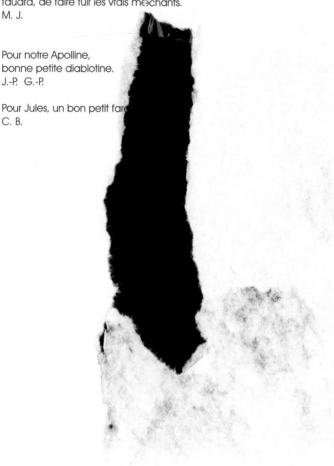

© Éditions Glénat
Couvent Sainte-Cécile – 37 rue Servan – 38000 GRENOBLE
Loi n° 49-956 du 16 juillet 1949 sur les publications destinées à la jeunesse.
Dépôt légal : novembre 2015
ISBN / 978-2-344-01078-5 / 001
Achevé d'imprimer en octobre 2015 en Italie par ⬛ Centro Poligrafico Milano S.p.A., Casarile - MI -
sur papier provenant de forêts gérées de manière durable.

Un bon petit Diable

d'après la comtesse de Ségur

interprété par MARLÈNE JOBERT

Adaptation : JEAN-PIERRE KERLOC'H
Illustrations : CHRISTOPHE BESSE

Glénat jeunesse

Dans une petite ville en Écosse, vivait une veuve qu'on appelait la mère Mac Miche. Cette femme n'aimait rien ni personne. Sauf son or et son argent.

Comme beaucoup d'Écossais, elle croyait aux méchantes fées invisibles qui viennent tourmenter les gens jusque dans leurs maisons.

Ce soir-là, derrière sa fenêtre, elle espionnait les gens de son quartier, quand elle vit arriver un gamin d'une dizaine d'années. Il était maigrichon et habillé de vêtements qui semblaient tout droit sortis d'une poubelle. C'était Charles, son arrière-neveu. Elle l'avait recueilli chez elle trois années auparavant, quand le garçon avait perdu ses parents.

À peine avait-il franchi sa porte que la mère Mac Miche aboya :

– Où étais-tu passé, petit crapaud ?

– J'accompagnais Juliette. Elle avait envie de se promener un peu.

– Ce n'est pas parce que cette petite voisine est aveugle qu'on doit lui servir de guide. Elle a Marianne, sa grande sœur, pour ça !

– Mais Marianne était à son travail. Alors elle ne pouvait…

– Ça suffit, elles n'ont qu'à se débrouiller !

– Ma tante, le jour où vous aurez un peu de cœur, les petits cochons auront des ailes et ils pondront des œufs.

– Tu vas voir ! Espèce d'effronté ! Je vais t'apprendre le respect, moi !

La mère Mac Miche l'agrippa par une oreille et le traîna jusqu'à un grand placard, qu'elle appelait le cabinet noir…

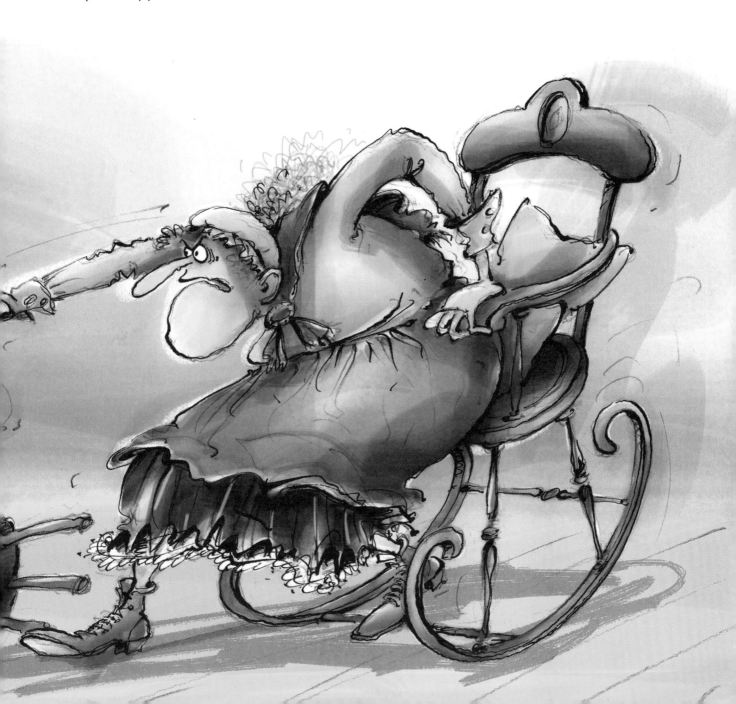

Le jeune garçon entendit la porte du placard se refermer sur lui,
la clé tourner dans la serrure, puis la voix de sa tante appeler la nouvelle
petite bonne.

– Bettyyyy ! Vous n'ouvrirez à ce voyou que dans une heure, compris ?
Et vous me l'amènerez. Il me fera la lecture.

Dans le noir, Charles songea à ses parents et aux jours heureux dans
leur belle maison. Il essuya une larme. Il se sentit un peu réconforté à la
pensée qu'il n'était pas seul, qu'il avait son amie Juliette… Le regard
couleur de nuages de cette petite aveugle ne l'empêchait pas de lire
au plus profond de son cœur quand il avait de la peine.

Ce soir encore, sa tante avait été si odieuse.

– Je la déteste. Elle est injuste et sans cœur ! J'en ai assez qu'elle me
punisse et me batte pour un rien… Je vais plus la laisser faire. Je vais
me défendre, me venger ! Allez tiens… comme elle croit aux méchantes
fées invisibles… Ça me donne une idée… je vais lui…

Soudain, il entendit un léger bruit. Quelqu'un tournait la clé dans la
serrure du placard. La porte s'entrouvrit doucement, tout doucement.
Et Charles à demi ébloui reconnut la petite bonne.

– J'venions voair si vous n'étouffions point trop là-d'dans.

– Non, ça va, Betty, merci. Je voudrais vous demander quelque chose :
s'il vous plaît, quand vous reviendrez me chercher tout à l'heure,
apportez-moi une poignée de farine.

– Une poignée de farine ? Mais pour quoi faire, grand Dieu ?

– Chuuut ! lui fit Charles avec un petit sourire malicieux.

Plus tard, lorsque Betty revint avec la farine, Charles s'en barbouilla la figure,
puis en rigolant il glissa quelques mots à l'oreille de la petite bonne qui aussitôt
courut chercher sa patronne.
– Madame ! Madame ! Faut qu'vous v'nions vite ! M'sieur Charles, il étions mort !
La mère Mac Miche la suivit et découvrit son petit-neveu étendu sur le sol,
le visage blanc comme un linge, les yeux fixes et écarquillés. Après quelques
secondes d'immobilité totale, d'un bond le garçon se leva et commença
à gesticuler à travers la pièce en hurlant comme un fou :
– Au secours, au secours, je suis popopo… possédé par les fées du caca…
du ca… du ca… du cabinet ! Au secours ! Sauvez-moi des fées du caca…
du cabinet !

D'une main, en voulant balancer une grande claque sur la joue de sa tante,
il envoya valser son dentier sur le plancher ; de l'autre, il empoigna sa perruque
et l'expédia dans la cheminée.
– Oh… mes boucles ! Mes belles boucles ! Mes dents, mes si jolies dents !
En se précipitant, la mère Mac Miche réussit à sauver son horrible tignasse,
mais elle eut beau farfouiller à quatre pattes dans tous les coins et recoins,
elle ne retrouva pas son dentier.
– À coup sûr, c'est les méchantes fées qui l'avions emporté, affirma l'espiègle
Betty, qui avait vu Charles le ramasser et le glisser dans sa poche…

Le lendemain, Charles passa voir Juliette dans la modeste maison qu'elle partageait avec Marianne, sa grande sœur. Il lui raconta le tour qu'il avait joué à la mère Mac Miche et la petite aveugle lui dit :

– Ce sont peut-être tes insolences qui rendent ta tante si mauvaise… Essaie d'être plus agréable. Je sais que c'est difficile. Je t'en prie, Charles, essaie…

Le jeune garçon lui promit de faire un effort, d'essayer. Aussi, quand sa tante l'appela, il répondit très gentiment :

– Oui, ma tante. Tout de suite, ma tante.

Il s'appliqua à bien lui lire le livre qu'elle préférait. Au repas, il la regarda sagement avaler la bouillie de pommes de terre et de pain trempé qu'elle avait fait préparer tout exprès, puisque sans son dentier elle ne pouvait plus mâcher. Il ne dit rien en la voyant se tailler dans la motte une énorme part de beurre, qu'elle ajouta à sa bouillie.

Mais quand il voulut à son tour en prendre un peu, sa tante lui donna un méchant coup de louche sur la main.

– NOOON ! Touche pas ! C'est MOOON beurre !

Alors, cette fois, il ne put se retenir :

– J'en ai assez ! C'est toujours pareil : vous sucrez votre lait et moi, je n'ai pas le droit de sucrer le mien. Vous vous goinfrez de marmelade, et moi j'ai droit à du pain sec. Vous vous servez les plus beaux morceaux de lard, et vous me laissez la couenne… Vous vous gavez, et moi je n'ai jamais ma ration…

– Mais tu vas l'avoir, ta ration, mon garçon ! Une bonne ration de correction ! À partir de maintenant, c'est les fesses à l'air que je vais te rosser !

Et bouillonnante de colère, elle courut chercher son fouet.

Mais à son retour, le garçon ne l'avait pas attendue. Il avait disparu.

Charles, qui était allé se réfugier chez ses voisines, leur raconta ses malheurs.
– Écoute, lui dit Marianne, je fais souvent le ménage chez monsieur le juge.
Si tu veux, je te promets de lui en parler.

Une fois revenu chez sa tante, Charles était plus que jamais décidé à lui en faire
voir de toutes les couleurs.
Au dîner, quand il souleva le couvercle de la soupière, le dentier perdu jaillit
hors du potage et atterrit dans l'assiette de la mère Mac Miche.
– Attention ! Il peut vous mordre ! cria Charles.
– Ah ben voilà, c'est les fées qui l'avions rapporté ! s'exclama Betty.
La tante ne savait plus quoi penser. Toute tremblante, elle quitta la table
sans manger.

Dans la soirée, Charles demanda en cachette à Betty des élastiques, des ciseaux,
du carton, de la colle forte, du papier rouge et du noir.

Et quand plus tard sa tante l'appela pour lui faire la lecture, il répondit :

– Tout de suite, ma tante. Bien sûr, ma tante.

Il commença à lire. Mais d'une drôle de façon : il supprimait ou inventait des mots
ou des personnages ; il sautait des pages au hasard ; il lisait des phrases à l'envers ;
ou encore il bougeait ses lèvres mais aucun son ne sortait de sa bouche…

Excédée, la tante empoigna le fouet qu'elle gardait maintenant à portée de main.

– Cette fois, tu ne vas pas m'échapper, petit chenapan ! Tu vas l'avoir, ta correction
fesses à l'air !

Mais, à l'instant même où elle baissait la culotte du gamin, elle faillit s'étrangler de
terreur en découvrant ce qui était collé sur ses fesses : deux têtes de diables de papier
la regardaient fixement.

– Les dia… les diadia… les diables !

Complètement paniquée, elle détala alors avec toute la vitesse de ses petites jambes :

– Cet enfant est possédé des dé… des démons… Qu'il s'en aille, qu'il s'en aille,
je ne veux plus le voir dans ma maison ! Qu'il s'en aille, qu'il s'en aille ! Qu'il s'en aille !

Une fois de plus, Charles fut recueilli par ses voisines. Mais ce soir-là, Marianne lui annonça qu'elle venait de faire une découverte importante : dans un vieux portefeuille que lui avait offert le père du jeune garçon, elle avait trouvé un papier, signé par la mère Mac Miche. Elle le lut à haute voix :

Je certifie avoir reçu de mon neveu Jack Mac Lance 50 000 livres sterling.
Je m'engage à placer cette somme dans une banque, et à me servir des intérêts qu'elle rapportera pour bien loger, habiller, nourrir et éduquer son fils Charles Mac Lance. Quand celui-ci atteindra sa dix-huitième année, je m'engage à lui rendre la somme de 50 000 livres.

Signé : Céleste Mac Miche, le 12 juillet 1840

Charles ne comprenait pas bien ce que tout cela voulait dire.
Marianne essaya de lui expliquer :
– Cela veut dire que ta tante a gardé tout cet argent pour elle. Elle t'a volé, elle t'a élevé comme un pauvre mendiant. Elle ne t'a même pas envoyé à l'école. Mais réjouis-toi, cela va changer.
– C'est vrai, mais c'est merveilleux ? ! Alors tout cet argent, je le partagerai avec vous deux !
– Pas si vite ! Il faudra d'abord que je porte ce papier à monsieur le juge. Et ensuite je…

Des coups frappèrent à la porte. Betty entra, l'air affolé.
– Ah ! M'sieur Charles… Vot'tante, elle voulions vous mettre en pension au château de Fairy Hall ! Elle m'avions commandé de préparer vot' p'tit bagage, et de venir vous chercher d'main. Cette pension, c'étions pire qu'une prison à ce qu'il paraît ! Pauv' p'tit M'sieur Charles…
Juliette éclata en sanglots. Charles la prit dans ses bras et, en la serrant très fort, lui chuchota :
– Ne t'inquiète pas, je te parie qu'ils ne pourront pas me garder plus d'une semaine !
Puis il se tourna vers Betty :
– Et vous, surtout, n'oubliez pas de mettre dans mon bagage mon grand pot de colle. Vous savez : celui marqué GLU.

C'est une espèce de brute chaussée de gros sabots qui leur ouvrit la porte
du vieux château de Fairy Hall. D'une main, l'homme fit signe à Charles d'entrer,
de l'autre, il repoussa Betty dehors. Puis, après avoir verrouillé le portail à
double tour, il grogna :
– Suis-moi !
Charles suivit donc l'homme aux sabots, à travers de longs couloirs sombres
qui sentaient la moisissure.

Le directeur l'accueillit en ricanant.

– Alors comme ça, il paraît que tu es un sale petit diable ? Moi, je suis monsieur Old Nick. Old Nick, ça veut dire le vieux diable. Et je te montrerai qui de nous deux est le plus fort. Ha ha ha… !

Puis en poussant fermement Charles vers le gardien, il ajouta :

– En attendant, mon fidèle Boxear va te conduire dans ta classe. Allez, file !

Il y avait bien une cinquantaine d'enfants dans cette salle.
Le maître, occupé à donner de grands coups de règle sur la tête
d'un élève, leva à peine les yeux vers le nouveau venu :
– Trouve-toi une place libre, assieds-toi et tais-toi.
Charles considéra la chaise vide du maître sur l'estrade,
et s'y installa.
Toute la classe bien sûr pouffa de rire !
Le maître furieux fonça alors sur Charles, l'arracha de son siège,
abaissa sa culotte et… et s'arrêta net devant les deux têtes
de diables collées sur ses fesses.
Ce qui ne manqua pas de déclencher une nouvelle avalanche
d'éclats de rires !

Plus tard, Charles apprit par un camarade que Boxear était à la fois le fouetteur chargé des punitions et le sonneur de cloche.

– Nous, on l'appelle le Sourdingue, il est complètement sourd et à moitié dingue. C'est lui qui nous réveille tous les matins à quatre heures.

– Je te parie que demain matin il ne nous réveillera pas, lui répondit Charles qui avait déjà sa petite idée derrière la tête.

Dans la nuit, il s'échappa du dortoir et alla tout simplement décrocher le battant de la maudite cloche.

Peu de temps avant le lever du jour, il entendit le bruit des sabots de Boxear.

Il le vit tirer, tirer sur la corde de la cloche.
Puis repartir tranquillement, croyant avoir
bien fait son travail de sonneur.

Charles alla remettre le battant à sa place
et, cela fait, regagna son lit pour s'offrir
un petit sommeil.

Deux heures plus tard, tout le monde fut
réveillé par les rugissements du directeur :

– Boxear ! Tu n'as pas sonné ! Il est six heures
et tous les élèves sont encore au lit ! Triple
fainéant !

– Ben si… Mais si ! J'ai tiré la corde comme
d'habitude ! C'est les fées… C'est les fées qui
l'ont ensorcelée. C'est les fées, je suis sûr…
C'est les fées ! répétait Boxear.

Finalement, le directeur fit lui-même sonner
la cloche.

– Boxear, enfin ! Tu vois bien ! Triple abruti !
Elle fonctionne parfaitement !

Le lendemain, nouvelle diablerie. Dans la nuit, Charles avait badigeonné
de glu les sièges du directeur, des surveillants et des maîtres.
Une fois assis, ils s'aperçurent que les chaises et les bancs leur collaient
aux fesses. Pour se libérer, ils furent obligés de se déculotter !
Ah, ils avaient l'air malin, tous en caleçon !
Le directeur en bafouillait de rage.
– Bandes d'an… d'andouilles, de… de fripouilles, de sa… sa…
de sacripants, chenapans, caca… canailles ! Vous serez tous
fouettés tous les jours si le coupable ne se dénonce pas !
Ou si vous ne le dénoncez pas !
Charles leva la main :
– Moi je sais qui c'est… mais je vous
le dirai à une condition : jurez sur la Bible,
devant tout le monde, que vous le
mettrez à la porte de votre pension,
sans aucune autre punition.

Le directeur refusa d'abord ; puis il finit par accepter de dire sa promesse
à haute voix :

– Moi, Pancrace, Zéphir, Old Nick, je jure sur la Bible de mettre
immédiatement à la porte le coupable, sans lui infliger une autre punition.

Cela dit, il se tourna vers Charles :

– Alors, ce coupable ? C'est qui ?

– C'est les fées, monsieur Vieux Diable ! C'est les fées qui l'ont fait !

– Les fées ! Me prends-tu pour un imbécile ?

– Oui, monsieur Vieux Diable ! Les fées, c'était moi ! Je suis possédé
par les fées !

Le directeur avait promis, il fut bien obligé de tenir
sa promesse : il mit donc Charles à la porte. Et c'est ainsi
que notre bon petit diable retrouva sa liberté…
et la maison de ses chères voisines.

Peu de temps après, monsieur le juge, accompagné d'un policier, s'était présenté chez la mère Mac Miche.

– Madame, vous avez détourné l'argent destiné à Charles Mac Lance, votre arrière-neveu.

– Mais… mais… de quoi parlez-vous ? Je me suis ruinée pour nourrir cette bouche inutile !

– En voici la preuve ! fit le juge en brandissant le reçu qu'elle avait signé. Alors, choisissez : ou vous ouvrez votre coffre-fort et rendez cet argent tout de suite, ou nous vous emmenons en prison.

Elle tira une clé de dessous sa chemise et, en tremblant, ouvrit son coffre à contrecœur. Il contenait plus de deux cent cinquante mille livres.

– Ah en effet, je vois que vous êtes ruinée ! dit le juge avec un sourire moqueur. Bon, je prends les cinquante mille livres que vous devez et…

Il ne put terminer sa phrase. La mère Mac Miche, tout en se roulant
sur le sol, poussait des glapissements de folle.

– Oh non, oh non, oh non ! Ils m'ont pris mon argent chéri, mon bonheur,
mes mignonnes pièces d'or, mes billets si doux… Ils m'ont dévalisée…
Au secours… Je n'ai plus qu'à mourir de tristesse…

Puis elle fit mine de défaillir. Mais quand le juge demanda à Betty d'aller
chercher le médecin, aussitôt elle sursauta :

– Oh non ! Pas de médecin, surtout pas, surtout pas. Il va me demander…
Il va me demander de le payer ! fit-elle en s'étouffant.

Le lendemain matin, on la retrouva dans son lit, étouffée
pour de bon et pour toujours, sous ses liasses de billets
amassées entre ses bras, et ses pièces d'or serrées dans
ses poings.

Quelques jours plus tard, le juge apprit à Charles qu'il était l'unique héritier de sa grand-tante, Céleste Mac Miche, et que le tribunal lui avait choisi Marianne comme tutrice. C'est elle, désormais, qui gérerait son éducation et sa fortune, en attendant qu'il ait dix-huit ans.
Le juge prit ensuite Charles par les épaules :
– Tu as bien fait, mon garçon, de nous raconter comment les enfants étaient traités à la pension de Fairy Hall. Ce Old Nick, ce misérable, est en prison maintenant. Un autre directeur l'a déjà remplacé.

Une nouvelle vie commença alors pour Charles et ses voisines.
Et aussi pour la gentille Betty qu'ils gardèrent à leur service.
Maintenant Charles allait à l'école. Un professeur apprenait à lire à Juliette
avec une méthode qui venait tout juste d'être inventée en France :
c'était une écriture faite de points en relief, appelée le braille,
et que les aveugles déchiffraient avec le bout de leurs doigts.

Après dix belles années de joie et de tendresse arriva le jour où Marianne annonça à Charles qu'il était en âge de se marier et qu'elle allait lui présenter des jeunes filles de bonne famille.
Le jeune homme étant riche, élégant et très instruit, les prétendantes ne manquaient pas. Mais à chacune, il trouvait toujours un défaut : trop jeune, trop vieille, trop grande, trop petite, trop maigre, trop grosse, trop bête ou trop savante… et même trop belle ! Bref, il n'en voulait aucune.
La vérité, c'est qu'il en aimait une autre…

Et cette autre, qu'il connaissait depuis toujours et qu'il n'avait
jamais cessé d'aimer en silence… cette autre au regard couleur
de nuages, qui savait lire si bien au plus profond de son cœur,
c'était Juliette. Eh oui…
Un jour, un très beau jour, ces deux-là s'avouèrent leur amour.
Et, comme dans les jolis contes, ils se marièrent et eurent
de charmants enfants avec de grands yeux ouverts sur la vie :
deux filles et un garçon.
Le garçon, paraît-il, adorait faire des blagues, c'était…
comme on dit… un bon petit diable…